Les Irréductibles

D'après la série Foot 2 Rue, librement adaptée
d'un roman de Stefano Benni.
Conçue par Giorgio Welter et Philippe Alessandri.
Écrite par Peter Berts, Anthony Vanaria, Vincent Costi,
Nathalie Reznikoff, Séverine Vuillaume, Marco Beretta,
Cyril Tysz, Guillaume Enard.
Réalisé par Stéphane Roux et Bruno Bligoux
Illustration de couverture réalisée par Florence Demaret.
© Télé Images Kids et de Mas & Partners.

© Hachette Livre, 2008, pour la présente édition.
Novélisation : Michel Leydier.
Conception graphique du roman : François Hacker.
Hachette Livre, 43, quai de Grenelle, 75015 Paris.

Les Irréductibles

HACHETTE

Le petit monde de
l'Institut Riffler

L'Institut Riffler est une des plus vieilles
écoles de Port-Marie,
fondée par le comte Riffler.

Mademoiselle
Adélaïde

La directrice de l'Institut est
sévère mais juste, comme
beaucoup de directrices !

Chrono

Le gardien de l'Institut.
C'est un véritable pilier de
l'école, car il sait écouter
les élèves.

LES BLEUS DE RIFFLER

L'équipe de foot de rue la plus célèbre de Port-Marie est née à l'Institut Riffler. Les premiers champions du monde de ce sport, ce sont eux, les Bleus de Riffler. Depuis leurs débuts, la composition de l'équipe a changé. Voici ses membres actuels :

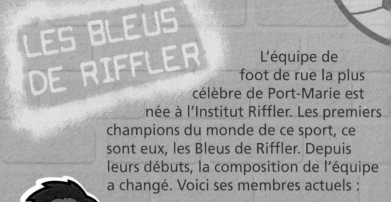

Tag

Le capitaine. Il joue comme un dieu, et fait craquer les filles… hein, Éloïse ? Tag souffre d'être orphelin, ce qui le rer parfois dur et solitaire. Mais c'est aussi l qui trouve les solutions au bon moment, et réunit toute l'équipe.

Gabriel

Ses parents vivent en Afrique… Alors parfois, il se sent un peu seul. Heureusement, il y a Tag, son meilleur ami. En plus d'être un as du ballon rond, Gabriel est un garçon profondément gentil.

Éloïse

C'est le gardien de but de l'équipe,
et la descendante du comte Riffler !
Elle a du caractère, et un talent
impressionnant. Eh oui, le foot de rue,
ce n'est pas réservé aux garçons !

Samira

L'autre fille de l'équipe est
aussi une joueuse d'exception.
Bosseuse et énergique,
Samira sait rester féminine.
Dans la cité où elle vit,
elle est connue pour son
caractère bien trempé !

Jérémy

Adepte du free style, il est très
doué avec un ballon ! Ce qu'il
aime, au foot comme dans la vie,
c'est frimer et faire rire. Au fond,
Jérémy est un dur au cœur tendre.

Amitié Respect Solidarité

Ce sont les principales valeurs du foot de rue.
C'est un mode de vie autant qu'un sport.

Les règles

Les règles du foot de rue sont celles
du football classique, avec beaucoup
de liberté et de souplesse en plus. Par
exemple, le tirage de maillot est autorisé
et l'obstruction n'existe pas, pas plus
que le hors-jeu. Le nombre de joueurs
par équipe et les dimensions du terrain
s'adaptent aux circonstances…
Toutes les méthodes sont bonnes
pour tromper l'adversaire, sauf la
violence, bien sûr !

L'histoire

En gagnant le premier Mondial de foot de rue, les Bleus ont prouvé qu'ils n'avaient pas volé leur réputation. Ils sont non seulement les plus forts à Port-Marie, mais aussi une des meilleures équipes du monde !
Leur plus grande victoire a été d'imposer le foot de rue comme un sport à part entière. Même leurs ennemis d'hier ont changé d'avis.

Mais de nouveaux défis attendent les Bleus. Ils doivent défendre les valeurs du foot de rue, que le succès du sport risque de faire oublier. Et un nouveau Mondial se prépare…
Cette fois, se qualifier ne sera pas un jeu d'enfant : les équipes en compétition sont plus nombreuses et mieux préparées ! Et maintenant, les Bleus de Riffler sont l'équipe à abattre !

Les amis

Heureusement, pour les aider, les Bleus peuvent compter sur leurs amis.

Les Tekno

Anciens membres des Bleus, ces frères jumeaux sont passionnés de foot, et des buteurs nés. Tout ce talent ne passe pas inaperçu : les Tekno ont été repérés et s'entraînent à l'Olympique de Port-Marie. Mais ils seront toujours là pour aider les Bleus !

Requin

En plus d'être un joueur de foot de rue, Requin est un leader respecté. C'est un peu un grand frère pour les Bleus. Sa connaissance de Port-Marie et de ses équipes lui permet souvent de trouver des solutions aux problèmes les plus délicats !

Fédé

Ancien joueur professionnel, Fédé est un expert du foot. Il a lui-même participé à plusieurs coupes du monde. C'est lui qui a organisé le premier Mondial de foot de rue. Ses conseils sont toujours précieux pour les Bleus.

Chapitre 1

La cité des Ifs

La cité des Ifs de Port-Marie a mauvaise réputation. Une bande de caïds y fait régner la terreur. Sans leur accord, les plus jeunes ne peuvent rien entreprendre.

Parmi ces derniers se trouve un garçon prénommé Stéphane, un passionné de foot de rue. Malheureusement, les « grands frères » s'opposent à ce que lui et son équipe participent aux qualifications du Mondial.

Ne sachant plus quoi faire, il décide d'envoyer un mail aux champions du monde :

« Bonjour, les Bleus ! Ici, à la cité de Ifs, on est censés suivre l'exemple des plus grands. Racketter, brûler des voitures, ce genre de choses. Mais ce qui nous branche vraiment, mes copains et moi, c'est le foot de rue. Et ça ne plaît pas à tout le monde… Une visite des champions du monde, ça nous aiderait beaucoup. Si vous recevez ce message, aidez-nous ! Merci d'avance. »

Les intéressés prennent connaissance du message au QG du prochain Mondial, en compagnie de Requin.

— Waouh ! dit Éloïse. Il respire pas la joie.

— Va vivre dans une cité et tu comprendras ! réplique Samira.

— Qu'est-ce que vous en pensez ? demande Tag. On leur rend une petite visite ?

Requin fait volte-face, l'air ébahi.

— Aux Ifs ? T'es malade ! Un conseil, les gars : oubliez ! Les Démoniaks règnent sur la cité. C'est une bande de fous furieux qui détestent les visiteurs, si vous voyez ce que je veux dire…

Jérémy, un peu à l'écart, jongle avec un ballon. Soudain, suite à un mauvais contrôle, ce dernier lui échappe et vient heurter violemment l'ordinateur. Aussitôt, l'image disparaît.

— Jérémy ! râle Requin. Déjà qu'il marchait pas très bien…

— Désolé, s'excuse Jérémy.

L'incident n'a pas détourné Tag de son idée.

— Bon, dit-il avec un petit sourire. Puisque tout le monde est d'accord, direction les Ifs !

Les cinq Bleus s'apprêtent à quitter l'usine de sardines mais Requin n'a pas dit son dernier mot.

— Eh, pas si vite ! Qu'est-ce qu'on fait pour l'ordi ?

— On peut toujours envoyer une lettre au Père Noël, suggère Éloïse.

La réplique fait rire tout le

monde sauf Requin, qui fixe l'écran noir d'un air triste.

— Attends ! dit Gabriel en revenant vers le bureau. Faut savoir leur parler à ces petites bêtes !

Il donne un grand coup de pied dans l'unité centrale posée par terre et l'image réapparaît sur l'écran.

— J'y comprendrai jamais rien ! commente Requin tandis que les autres s'éloignent en rigolant. C'est vraiment l'âge de pierre, cet ordi !

Comme pour lui donner raison, l'écran s'éteint de nouveau sans explication.

La cité des Ifs est à l'image de sa réputation : barres de béton gri-

sâtre, esplanades sinistres… Ici une carcasse de voiture, là des murs tagués et des boutiques dont le rideau de fer n'a pas été levé depuis des années.

— Comment on peut vivre ici ? demande Éloïse.

— On ne choisit pas de vivre ici, répond Samira, qui sait de quoi elle parle. Les gens qui habitent dans ce genre d'endroits ne se posent pas la question.

Quelques gamins jouent au foot au pied d'un immeuble. Les Bleus les observent un instant. Malgré leur jeune âge, ils pratiquent un jeu musclé, voire violent. On est plus proche de la boxe que du foot de rue.

D'ailleurs, une bagarre éclate entre deux joueurs et tous les autres les encerclent pour mieux les encourager.

— Vas-y, Julien ! Rentre-lui dedans !

— Ouais, défonce-le !

— Cogne plus fort, Frédo !

Tag s'élance pour séparer les adversaires.

— Stop ! C'est quoi, ce cirque ?

— Mais il a fait main, ce bouffon ! répond Julien, un petit blond à l'air teigneux.

— Tu m'insultes encore, tête d'âne ? réplique Frédo, rouge de colère.

— Et les règles du foot de rue ? demande Tag. Vous en faites quoi ?

— Je connais qu'une règle : tu gagnes ou tu crèves ! rétorque Frédo.

— Eh ben, c'est pas gagné ! soupire Jérémy.

Tous les Bleus se mêlent aux enfants pour tenter de les raisonner.

— La règle de base, c'est le respect ! s'écrie Samira. Si vous ne savez pas ça, pas la peine de jouer.

— Et puis l'amitié ! ajoute

Gabriel. L'adversaire n'est pas un ennemi, ne l'oubliez jamais.

Soudain, le visage de Julien s'adoucit et il écarquille les yeux.

— Mais ! Vous êtes les Bleus ? Les champions du monde ?

D'un seul coup, tous les enfants se tournent vers Tag et les autres avec un air admiratif. La bagarre est définitivement oubliée.

— Stéphane nous a dit que vous alliez venir, dit Frédo. Mais personne n'y a cru.

— Stéphane ? demande Éloïse.

— C'est lui qui nous a appris le foot de rue. Il s'entraîne tous les jours ! Il dit qu'il peut vous défier et vous battre avec les Irréductibles. C'est la meilleure équipe de la cité !

— Et il est où, ce Stéphane ? demande Tag.

— Je suis là ! répond une voix provenant du porche de l'immeuble, situé à une vingtaine de mètres.

Dans la pénombre, cinq jeunes assistaient à la scène. Quatre d'entre eux sont alignés derrière le cinquième, assis dans un fauteuil roulant.

Chapitre 2

Les Démoniaks

— C'est moi ! précise Stéphane en s'aidant de ses bras pour avancer. Salut, les Bleus ! Merci d'être venus. Je vous présente mon équipe : Hugo, Maati, Nora et Martin.

— On a gagné le tournoi des

Ifs, ajoute Hugo. Stéphane nous a dit que vous viendrez nous défier.

— Vous parlez d'un tournoi de karting ? demande Jérémy, moqueur.

Aussitôt, Éloïse lui décoche un violent coup de coude dans les côtes pour le forcer à se taire.

Stéphane fait comme s'il n'avait rien remarqué.

— Vous défier ? demande Tag, stupéfait. Mais tu nous as juste demandé de venir vous rencontrer. C'est quoi cette histoire de défi ? On est là pour partager notre expérience du foot de rue. Maintenant, on peut faire quelques balles si vous voulez…

— Vous avez pris la grosse tête ! réplique Stéphane.

— Désolé, mais ton message ne parlait pas de défi. Il n'y aura pas de match !

Stéphane lance à Tag un regard noir.

— C'est parce que je suis en fauteuil ?

Puis il se tourne vers son équipe.

— Allez, venez, les gars ! On s'est trompé. Ils nous méprisent, ajoute-t-il en fixant Jérémy. Comme tout le monde en dehors de la cité !

Les Irréductibles s'en vont, laissant les Bleus perplexes.

— Bravo, Jérémy ! lâche Éloïse. T'es content de ta blague ?

— Mais c'est lui qui a commencé !

— On aurait pu le jouer, ce match, dit Samira. Ça nous coûte rien et ils ont tellement l'air d'y tenir.

— On les aurait ridiculisés ! réplique Jérémy. Tu crois que c'est mieux ? Si on doit même relever les défis des joueurs à roulettes…

Toujours fâchée contre Jérémy, Éloïse hausse les épaules.

— Tu parles comme un imbécile, Jérémy. Le foot de rue, c'est pour tout le monde !

Cette fois, Jérémy ne trouve rien à répondre.

Les Bleus regardent les Irréductibles s'éloigner, puis la jeune comtesse s'élance à leur poursuite.

— Stéphane, attends !

Elle les rejoint et se place face à Stéphane.

— Écoute, Tag a raison. Tu ne parlais pas de défi dans ton mail.

— Ici, les grands passent leur temps à zoner. Voilà ce qui attend mes potes. Sauf si je leur prouve qu'ils peuvent faire mieux. J'ai besoin de ce match !

— Si je suis ton raisonnement, il ne suffira pas de le jouer, ce

match. Il faudra surtout le gagner !
Tu crois que c'est possible ?

— Et comment !

Éloïse est impressionnée par
l'assurance de Stéphane. Malgré
son handicap, ce garçon est volon-
taire, déterminé.

— D'accord, dit-elle soudain.
On relève le défi.

Pour la première fois depuis
leur rencontre, Stéphane sourit. Il
paraît ému.

— Merci, Éloïse.

Puis il se tourne vers les enfants
de la cité et s'écrie :

— Les Irréductibles vont affronter les Bleus, champions du monde
en titre !

Des cris de joie accueillent la nouvelle.

Les Bleus sont mis devant le fait accompli. Éloïse croise le regard de Tag, mais ce dernier lui sourit en levant le pouce. Mais une voix autoritaire vient troubler la fête.

— Personne n'affrontera personne !

La bande de caïds de la cité a fait irruption sur l'esplanade. Ils ont tous plus de dix-huit ans, des muscles à revendre, et ils affichent un air menaçant.

Manu, un grand baraqué au crâne rasé, s'approche des Bleus.

— Quant à vous, vous allez dégager. Les blaireaux sont interdits de séjour aux Ifs ! La sortie, c'est par là !

— Ah bon ! rétorque Jérémy. J'ai pas vu de panneau.

— Mais pour qui il se prend, le mollusque ? intervient un autre en sortant une batte de base-ball de son blouson. Tu veux qu'on te fasse ta fête ?

— Ils ne plaisantent pas ! intervient Stéphane. Faites ce qu'ils disent.

— Allez, barrez-vous ! reprend Manu. Et je vous conseille de plus remettre les pieds ici !

Tag se sent obligé de battre en retraite.

— D'accord, dit Tag. On se tire. Mais on le fera, ce match !

Sans se démonter, les cinq Bleus traversent tranquillement le groupe des Démoniaks.

— Salut, les filles ! lâche Jérémy, un petit sourire aux lèvres.

Mais, voyant Manu et les siens virer au rouge, ils se mettent tous à courir, en riant aux éclats.

Malheureusement pour les

gamins de la cité, la colère de Manu s'abat sur eux.

— Et vous, vous croyez aller où en tapant dans un ballon ? Vous vous êtes regardés ? Votre avenir, c'est la cité des Ifs ! On est une famille ! Alors faites ce qu'on vous dit, pigé ?

Un Démoniak prend le ballon des mains d'un des gamins.

— Et toi, ajoute Manu à l'attention de Stéphane, arrête de les mener en bateau avec tes histoires de Mondial et de foot de rue ! Non mais, ouvre les yeux !

Son regard se pose sur le fauteuil roulant.

— Tu te ridiculises devant tout le monde et tu nous mets la honte !

Blessé, Stéphane baisse la tête. Puis il la redresse et fixe Manu avec rage.

— T'as pas le droit de dire ça ! Si tu t'intéressais un peu à nous, tu saurais que je suis le meilleur gardien de but de la cité ! Le meilleur, t'entends ?

Stéphane est au bord des larmes. Mais il ne veut surtout pas pleurer devant les caïds. Il préfère faire demi-tour avec son fauteuil et disparaître.

Chapitre 3

La gueule du loup

Les Bleus sont de retour au QG, où Requin tente toujours de faire fonctionner l'ordinateur.

— Alors ? leur lance-t-il en levant le nez de l'unité centrale. Encore en vie ?

— T'avais raison, répond Gabriel. On s'est fait virer.

— On est même interdits de séjour ! ajoute Éloïse.

— En partie grâce à Jérémy ! précise Samira. Il a tout fait pour les monter contre nous. Faut toujours qu'il la ramène.

— N'empêche, intervient Tag, il va bien falloir y retourner : on a accepté un défi des Irréductibles.

Jérémy s'affale dans le canapé en soupirant.

— Et on fait comment ? demande-t-il. On se pointe avec des fleurs pour les Démoniaks en chantant *Peace and Love* ?

Requin observe attentivement les Bleus avant de donner son avis.

— Laissez tomber ! Si vous vous faites choper, vous ne reviendrez pas entiers.

— Écoute, Requin, dit Tag. On a relevé des tonnes de défi, juste pour le fun. Si on peut aider ne serait-ce qu'un gamin de cette cité à éviter de mal tourner, ça vaut le coup, non ? Mais si on n'y va pas, les Démoniaks auront montré qu'ils sont les plus forts. Bel exemple pour les plus jeunes !

Soudain, l'ordinateur émet un grésillement. Tout le monde se tourne dans sa direction et un fond d'écran apparaît comme par enchantement.

— On ne bouge plus, on ne respire plus ! s'écrie Requin.

Mais à peine a-t-il prononcé ces paroles que le noir revient.

— Je crois vraiment que tu devrais écrire au Père Noël, glisse Éloïse en souriant.

Le lendemain à l'Institut, les garçons exposent la situation à Chrono. Ils ont plus que jamais besoin d'un bon conseil.

Le gardien de Riffler est formel : il faut être prudent.

— C'est tout à votre honneur de vouloir relever ce défi, les Bleus, mais Requin a raison : c'est beaucoup trop dangereux ! Ce match, faites-le ailleurs qu'aux Ifs… ou ne le faites pas du tout !

Une fois seuls, Tag, Gabriel et Jérémy continuent de peser le pour et le contre.

— Chrono a raison, dit Jérémy. On peut le jouer n'importe où, ce match !

Pendant ce temps, Éloïse mène une mission secrète aux abords des Ifs. Elle guette la sortie de

Stéphane tout en téléphonant sur son portable. C'est le comte Riffler à l'autre bout de la ligne et ce qu'il lui annonce la réjouit.

— Un ordi tout neuf ? Génial, Papa ! Fais-le livrer à l'usine de sardines sur le vieux port... Bon, je te laisse, à ce soir, Papa !

Le capitaine des Irréductibles vient d'apparaître sur son fauteuil.

Éloïse range son téléphone et se précipite dans sa direction.

— Salut, Stéphane ! On est toujours d'accord pour le match, mais pas aux Ifs. Faut trouver un autre endroit.

— C'est hors de question ! On est les outsiders, on a le choix du terrain.

Stéphane fait mine de continuer son chemin, puis se ravise.

— Si c'est à cause des Démoniaks, rassure-toi, ils seront pas au courant. Le mercredi aprème, ils font la tournée des cités pour récupérer le butin des gars qui bossent pour eux. Mais si vous avez la trouille… on annule tout.

Cette fois, le capitaine des Irréductibles s'éloigne. Il s'engage sur une rampe d'accès qui mène à une esplanade. La pente est rude et il doit pousser fort avec ses bras.

Éloïse l'observe un instant avant de se décider à aller lui donner un coup de main. Elle se positionne derrière le fauteuil et le pousse, sans rien dire.

Stéphane se retourne. Il est surpris mais ne dit rien non plus.

C'est la jeune comtesse qui finit par briser le silence.

— Ma grand-mère aussi se déplace en fauteuil…

— Ah bon ? Et elle joue aussi au foot ? demande-t-il en souriant.

— Ça lui arrive…

Puis elle ajoute, prenant un air plus grave :

— Stéphane, pourquoi est-ce que tu es tout le temps en colère comme ça ? Pourquoi tu tiens tellement à nous affronter ? Et pourquoi tu veux absolument que le match ait lieu ici ?

— Si on bat les champions du

monde, plus personne ne me regardera de la même façon. Et j'aurai prouvé à mes potes que l'exemple des Démoniaks n'est pas le seul choix possible !

Ils sont arrivés en haut de la rampe. Éloïse s'arrête de pousser et Stéphane pivote pour lui faire face.

— Je vais en parler aux autres, dit Éloïse en soupirant. On vous tient au courant. Allez, à plus !

Elle redescend la pente, sous le regard de Stéphane, quand une voiture surgit au coin de la rue et vient freiner juste au pied de la rampe. Quatre gros bras, dont Manu, en descendent. Ils ont vite

fait d'encercler Éloïse, qui commence à paniquer.

— Regardez qui est là ! dit l'un d'eux. Une Bleue ! Même si, pour l'instant, elle est plutôt verte !

— On t'avait pas dit de jamais revenir chez nous ? enchaîne un autre.

— On va lui faire sa fête, ajoute Manu.

— Moi, je lui ferais bien les poches, ajoute le quatrième. Mate comment elle est sapée ! Je te parie que ses vieux sont blindés de thunes !

« Je suis fichue, se dit Éloïse. Mais pourquoi est-ce que je suis venue me jeter dans la gueule du loup ? »

Chapitre 4

Le chef
a parlé

— Hé ! Fichez-lui la paix ! hurle Stéphane du haut de la rampe.

Mais l'avertissement de ce gamin n'est pas de taille à effrayer les caïds de la cité. Ils continuent, plus menaçants que jamais, de tourner autour d'Éloïse.

Profitant de la pente, Stéphane

s'élance sur la rampe en poussant au maximum sur ses bras. Il atteint une vitesse impressionnante en arrivant en bas.

— Éloïse ! s'écrie-t-il en fonçant droit sur elle.

La jeune fille et ses agresseurs se retournent. En une fraction de seconde, Stéphane traverse le groupe en cueillant Éloïse, qui se retrouve assise sur ses genoux, hors de danger.

Dans son mouvement, le fauteuil a violemment heurté la main d'un des copains de Manu.

— Argh ! hurle le blessé. Mon poignet ! Il m'a ruiné le poignet !

Emportés par leur élan, Éloïse et Stéphane dévalent une pelouse, puis se retrouvent dans une rue qui descend vers la ville. Le fauteuil prend encore de la vitesse. Il devient presque incontrôlable. Tant bien que mal, Stéphane parvient à slalomer entre les voitures.

Sur un trottoir, un agent de police a installé un radar mobile.

Au passage des jeunes gens, il croit avoir une hallucination.

— Oh là ! Je suis fatigué, moi, dit-il en secouant ses jumelles. Si je commence à voir passer des fauteuils roulants à 100 km/heure…

Entre-temps, les Démoniaks sont remontés dans leur voiture et se sont lancés à la poursuite de Stéphane et d'Éloïse. Mais, là encore, Stéphane est plus rusé qu'eux. Avant de se faire rattraper, il réussit à immobiliser le fauteuil dans une ruelle adjacente.

— C'est bon, dit-il. On les a définitivement semés.

— Toi, tu as dû sécher les cours de prévention routière, répond Éloïse en posant les pieds à terre.

Elle est secouée par cette course-poursuite, mais parvient à esquisser un sourire reconnaissant.

— Merci d'être venu à mon secours, Stéphane. Sans toi…

Plus tard ce jour-là, sur le vieux port, les Bleus et Requin se sont à nouveau réunis.

— Bien, résume Tag. On fera ce

match aux Ifs, mercredi aprème. Requin, vous êtes partants pour le service d'ordre ?

Requin est surpris. Il n'approuve pas la décision des Bleus.

— Désolé, Tag. On vous suit pas sur ce coup-là. Avec les Démoniaks, ça va dégénérer. C'est sûr ! Tout ça pour un match amical… ça ne vaut pas les ennuis qui vont nous tomber dessus. En plus, je dois m'occuper de l'ordi.

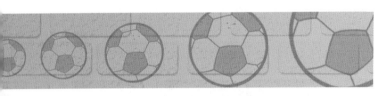

Il tape violemment dessus, mais son geste est sans effet.

— Je comprends, dit Tag. Pas

grave, on fera sans vous. Si Stéphane a dit la vérité à Éloïse, les
Démoniaks ne seront pas là et le
match devrait se dérouler sans problèmes.

Le capitaine des Bleus se tourne
vers ses coéquipiers.

— Bon, on se fait une petite
séance de décrassage ? Ça fait un
moment qu'on ne s'est pas entraî-
nés et, même si nos adversaires
sont largement à notre portée, on
doit les respecter et arriver en
forme.

— Je pourrai jouer le match en
rollers ? demande Jérémy.

Quatre regards chargés de
reproches se tournent vers lui.

— Ben quoi ? Stéphane est bien sur des roulettes, lui aussi !

À l'autre bout de la ville, l'heure est aussi à l'entraînement pour les Irréductibles. La séance se déroule dans un parking en sous-sol de la cité. Stéphane dirige les opérations avec méthode et autorité.

— Maati, masque mieux ton tir !

— Attention, Nora, ton contrôle manque de précision.

— Hugo, tu cours comme une tortue ! Un peu de nerf, bon sang !

Malgré les reproches de leur capitaine, les Irréductibles ne manquent pas d'allure. C'est une équipe efficace, dont le collectif est bien en place. Chacun a un poste défini qu'il maîtrise parfaitement, y compris Stéphane qui sait surmonter son handicap. Il est souple et vif comme l'éclair. De plus, il manie son engin avec une vitesse et une habileté incroyables.

— Pause ! lance-t-il soudain à ses coéquipiers. On souffle un peu. Je le sens bien, moi, ce match.

— Ils sont quand même champions du monde ! fait remarquer Hugo.

— Et alors ? Faut pas se laisser impressionner. Pas se poser de questions. On sera prêts et on jouera le match à fond !

Sur le vieux port, l'ambiance est très différente.

— On jouera pas le match à fond face aux Irréductibles… annonce Tag.

— Quoi ? s'étonne Jérémy, mécontent. Tu essaies de nous dire qu'on va aller risquer notre peau pour en plus faire exprès de perdre ?

— Stéphane a besoin de cette victoire ! dit Éloïse.

— Alors, qu'il la mérite ! Faut prendre ce match comme n'importe quel autre. Et si les Irréductibles doivent se payer la honte, ils se paieront la honte ! Faire semblant, c'est les insulter !

— T'es vraiment pas cool, Jérémy, intervient Samira.

— Attention ! reprend Tag. Il

ne s'agit pas de leur mettre la honte ni de les insulter. On va jouer cool au début et on voit comment ils réagissent. On est d'accord ?

Tout le monde acquiesce d'un hochement de tête, sauf Jérémy qui fait la moue.

— Ouais ! C'est toi le chef !

Chapitre 5

Casser du Bleu

Le jour J est arrivé.

Les Bleus sont accueillis en héros sur la grande esplanade des Ifs par les Irréductibles au complet. Derrière eux, tous les gamins de la cité trépignent d'impatience.

Du haut d'une tour, un garçon à sa fenêtre assiste à la scène. Il a un bras plâtré. C'est le Démoniak qui s'est fait démolir le poignet par le fauteuil de Stéphane.

— Non mais je rêve ! Ces larves ont osé remettre les pieds chez nous ? C'est Manu qui va être content ! s'écrie-t-il en sortant son téléphone portable de sa poche.

En contrebas, joueurs et spectateurs se dirigent vers un parking souterrain.

Les deux équipes se mettent en place.

— On fait comme on a dit, murmure Tag à ses coéquipiers. On commence cool !

— Et on tire pas trop haut ! ajoute Samira en voyant Stéphane s'installer dans ses buts.

Soudain, le noir se fait dans le parking. Mais un gamin appuie aussitôt sur un interrupteur.

— Le match se termine à la sixième coupure de la minuterie ! déclare Stéphane. C'est parti, les gars !

Le match démarre dans une atmosphère étrange. De toute évidence, les Bleus jouent en sous-régime, ce qui n'échappe pas à Stéphane.

Toujours en désaccord avec la stratégie de son équipe, Jérémy fait le clown sur le terrain.

À un moment, Gabriel se trouve seul devant le but adverse. Au lieu de frapper comme d'habitude, il se contente d'un tir sans puissance que Stéphane bloque d'une seule main.

— C'est tout ce que vous savez faire ? demande ce dernier. Tant pis pour vous !

Il lance très vite à la main une contre-attaque. Nora récupère et passe à Hugo qui drible Jérémy, lequel fait semblant de tomber. Un

une-deux avec Martin et Nora shoote de toutes ses forces en direction du plafond. Le ballon ricoche et retombe derrière Éloïse, trahie par le rebond.

Un à zéro pour les Irréductibles !

Tous leurs supporters explosent

de joie et applaudissent à tout rompre.

Jérémy lance à son capitaine un regard moqueur.

— Tu veux qu'on y aille un peu plus cool, peut-être ?

Mais Tag, vexé, ne relève pas.

Le jeu reprend et les Irréductibles récupèrent rapidement le ballon. Maati et Nora sont bien placés quand la minuterie s'éteint brutalement.

Cette fois, le préposé tarde à rappuyer sur l'interrupteur.

— On n'y voit plus rien ! s'écrie Samira.

— La minuterie ! hurle Éloïse.

Mais quand la lumière revient, il est trop tard. Les Irréductibles

connaissent les lieux comme leur poche et ils n'ont pas arrêté le jeu... Maati vient de déclencher son tir.

Éloïse ne peut que le regarder passer : deux-zéro !

C'est l'euphorie dans le camp des Irréductibles et de leurs supporters. En face, les Bleus ont le visage fermé. Ils sont en train de se faire ridiculiser.

— Moi, je trouve qu'on a attaqué beaucoup trop fort, se moque encore Jérémy.

— Très drôle ! réplique Éloïse.

— Ils ont mis au point des super combinaisons ! fait remarquer Samira.

— Ce Stéphane est un as de la stratégie, ajoute Gabriel. Ils nous humilient !

— D'accord, reconnaît Tag. On réagit : plus de quartier !

Le match reprend. Mais à quelques kilomètres de là, les Démoniaks grimpent dans leur voiture.

— Opération répression, les

gars ! déclare Manu, surexcité, en rangeant son téléphone. Paraît qu'ils font un match dans nos parkings !

— Les nabots du foot de rue sur notre territoire ?

— On va casser du Bleu, j'te le dis !

— Sûr qu'on va leur faire passer l'envie de revenir !

Sur le terrain, le match est enfin lancé. Les deux équipes se donnent à fond et on assiste à un grand moment de foot de rue. Les tirs des Bleus ne sont plus des balles molles et Stéphane montre toute l'étendue de son talent. À la huitième minute de jeu, Tag parvient à réduire le score en marquant d'une reprise de volée imparable.

— Pas mal ! commente Stéphane. Je commençais à me demander où étaient passés les Bleus que je connaissais.

Durant l'action suivante, Martin quitte le terrain ballon au pied, en empruntant la rampe qui mène à l'étage supérieur. Samira le suit, laissant les autres Bleus perplexes.

La foule scande le prénom de Martin jusqu'à ce qu'il réapparaisse. Mais, à la surprise générale, il redescend par la rampe opposée, qui donne juste sur les buts d'Éloïse. Lorsqu'elle l'aperçoit, il est déjà trop tard. Le tir de Martin est magistral.

De nouveau, une salve d'applaudissements s'élève dans le public. On crie sa joie devant le spectacle offert par les Irréductibles face aux champions du monde.

— Surtout, on lâche rien ! hurle Stéphane à ses coéquipiers. Faut à tout prix conserver ces deux buts d'avance !

Deux étages plus haut, les Démoniaks viennent d'arriver. Ils se laissent guider par le bruit des spectateurs.

— Ils sont au deuxième niveau ! lâche Manu.

— On va leur régler leur compte une fois pour toutes, pas vrai ?

— Laissez-moi le petit frimeur… Jérémy. J'ai trop envie de lui démonter la tête personnellement !

Chapitre 6

Respect !

Les Démoniaks se sont groupés derrière une porte coupe-feu munie d'une lucarne. Manu lance un regard à travers la vitre de la salle.

— Ils sont bien là !

— Alors allons-y ! dit un autre. J'ai hâte de les réduire en morceaux.

Les battes de base-ball et quelques poings américains sont de sortie.

— Une minute ! répond Manu en essayant d'identifier les joueurs.

Sur le terrain, Jérémy drible adroitement deux défenseurs adverses et se présente seul devant les buts. Le moment est enfin venu pour lui de montrer de quoi il est capable. « Plus de quartier ! » a dit Tag. Il arme son tir et frappe avec une puissance inouïe, en faisant totalement abstraction du handicap du gardien.

Mais Stéphane a parfaitement lu son geste et part du bon côté. En poussant avec ses bras, il se jette littéralement hors du fauteuil et plonge. Sa main droite écarte le ballon de justesse et il retombe brutalement au sol. Stéphane a tout donné sur cet arrêt et il grimace en tentant de se relever.

Une ovation du public salue sa prouesse.

— Bravo, Stéphane !

— T'es le meilleur !

— Pour Stéphane, hip, hip, hip !

Les Bleus sont impressionnés. Tag se précipite pour aider le capitaine des Irréductibles à se rasseoir sur son fauteuil.

Derrière la porte coupe-feu, les caïds s'impatientent.

— Alors, on va cogner ou on dessine des banderoles ?

— La ferme ! rétorque Manu. On ira quand je vous le dirai.

Mais l'un des Démoniaks en a assez d'attendre. S'apprêtant à pousser la porte, il bouscule Manu qui le rattrape par le col.

— J'ai dit : on attend mon signal ! Pour l'instant, on les laisse jouer !

Stéphane a déjà lancé la contre-attaque. Nora passe à Maati qui redonne à Martin. Pendant ce temps, Hugo s'est défait du marquage de Gabriel. Il est parfaitement servi par Martin. Éloïse, voyant que Hugo s'apprête à tirer, monte vers lui. Très intelligemment, celui-ci pique une petite balle lobée qui trompe la jeune comtesse.

Les supporters des Irréductibles explosent de joie quand la minuterie s'éteint une nouvelle fois.

Plusieurs secondes s'écoulent dans le noir.

— Lumière ! réclame Stéphane.

— Rallumez ! s'impatientent plusieurs spectateurs.

L'éclairage finit par revenir et chacun se tourne vers le préposé à la minuterie. Mais, surprise… c'est Manu qui a le doigt sur l'interrupteur ! Il est entouré par sa bande.

Le silence est revenu d'un seul coup dans le parking.

Lentement, les Démoniaks s'approchent du centre du terrain, où les Bleus se sont rassemblés pour faire front. Ce que ces derniers redoutaient va se produire. L'affrontement est inévitable.

Mais en quelques tours de roues, Stéphane arrive à temps pour s'interposer courageusement.

— C'est moi qui les ai fait venir, Manu ! Laisse-les partir tranquilles !

Les caïds tapotent leurs battes.

La tension est à son comble. Manu fixe un moment les Bleus, puis son regard revient sur Stéphane.

— T'inquiète ! Tu m'as impressionné, champion !

Manu semble sincère, mais Stéphane a du mal à croire ce qu'il entend.

— Te fiche pas de moi !

Le chef des Démoniaks s'approche de lui et se penche, pose sa main sur sa nuque et colle son front contre le sien.

— Je plaisante pas, petit frère ! Je retire ce que j'ai dit. T'es juste incroyable, tu m'as complètement bluffé ! Je suis fier de toi. Respect, mon pote !

Stéphane ferme les yeux pour

contenir l'émotion qui le sub-
merge. Il reste silencieux, tandis
que Manu se redresse.

— Vous nous avez défiés. Vous
avez du cran, les gars !

Les copains de Manu n'y com-
prennent rien.

— Qu'est-ce qui se passe,
Manu ? On cogne plus ?

Manu secoue la tête.

— Ces gars-là sont les bienvenus chez nous ! dit-il en désignant les Bleus. Mais attention : je tiens à voir le match retour !

Soulagés, joueurs et spectateurs éclatent tous de rire.

Jérémy s'approche de Stéphane et lui tend la main.

— Bravo, vous avez mérité votre victoire !

— C'est toi qui avais raison, Jérémy, dit Tag en se joignant à eux. C'était une grosse erreur de lever le pied. Tu sais que si t'étais un peu sérieux, tu ferais presque un bon capitaine !

Épilogue

Les Bleus et Requin font visiter leur QG aux Irréductibles venus leur rendre visite.

— C'est ici qu'est née l'idée du premier Mondial de foot de rue ! dit Tag. Tu t'en souviens, Requin ?

Un petit sourire se dessine sur les lèvres du maître des lieux.

— Si je m'en souviens…

— Et c'est là que les Irréductibles vont s'inscrire pour les qualifications pour le prochain Mondial ! ajoute Éloïse.

Stéphane pâlit. Il est tellement ému qu'il a du mal à parler.

Son rêve se réalise enfin. Il se tourne vers ses coéquipiers.

— Vous avez entendu ça, les gars ? On va pouvoir tenter notre chance au prochain Mondial !

— Yahou ! répliquent ses amis.

Le sourire de Requin se fige soudain.

— Oui, mais pas tout de suite, l'inscription. On a, comme qui dirait, un petit souci informatique en ce moment.

— Tu es sûr ? intervient Éloïse avec un petit sourire. Qu'est-ce que c'est que ce carton, derrière la porte ?

Requin s'approche en ouvrant de grands yeux...

— Ben ça alors ! Un ordi tout neuf !

— Faut croire que le Père Noël

a reçu ta lettre ! conclut la jeune comtesse, au milieu d'un éclat de rire général.

Quel autre défi attend
les Bleus de Riffler ?

Pour le savoir,
regarde la page suivante

Tag et ses amis sont prêts à jouer un nouveau match !
Dans

Trahison

le 20ᵉ tome de la série Foot 2 Rue

À quelques jours de leur rencontre avec les Appaches, les Bleus doivent s'entraîner pour être prêts. Mais Gabriel tombe amoureux de la mystérieuse Marie et il a la tête ailleurs ! Du coup, les Bleus sont inquiets pour le prochain match. Et si leur équipier préférait passer du temps avec sa copine plutôt que de jouer au Foot de Rue ?

Pour connaître la date de parution de ce tome, inscris-toi vite à la newsletter du site www.bibliothequeverte.com !

GÉNÉRATION FOOT2RUE

Les as-tu tous lus ?

Saison I

1 Duel au vieux port

2 Goal surprise

3 Mise à l'épreuve

4 L'amitié d'un capitaine

5 Le Lion d'Afrique

6 Les Tigres de papier

7 Naissance d'un rêve

8 Les Diablesses du

9 Romance brésilienne

10 Carton rouge

11 Stars d'un match

12 Piégés !

13 Arrêt de jeu

14 Pacte avec le diable

15 La Finale

Saison II

16 Remise en jeu

17 Les rois de la jongle

18 Contrôlé positif !

La Compil'

Inédits

Tag et Samira

Tome I

Gabriel et les TekNo

Tome II

Jérémy et Éloïse

Tome III

**La série Foot 2 Rue relaye les valeurs prônées
par les Nations unies dans le cadre de
l'Année internationale du sport et
de l'éducation physique.**

Foot 2 Rue
et les Nations unies

Le sport pour la paix
et le développement dans le monde

Le sport développe la solidarité et constitue la meilleure école
de vie qui soit. Le sport enseigne des valeurs essentielles comme
gérer la victoire et surmonter la défaite. Il nous apprend à nous
insérer dans un groupe, à respecter nos adversaires et à suivre les
règles. En pratiquant un sport, nous développons la persévérance
et la discipline ainsi que le courage et la responsabilité dans la
prise de risque.

Les Nations unies défendent les vertus du sport et encouragent
les champions à servir de modèles pour les générations futures.
À travers l'Année internationale du sport et de l'éducation physique
(AISEP 2005), les peuples et les gouvernements du monde entier
sont encouragés à pleinement utiliser le pouvoir du sport pour
construire un monde meilleur.

Chacun est invité à participer à cette Année internationale du
sport. Initiez-vous à un sport ou apprenez une nouvelle discipline
à vos amis ; investissez-vous dans les clubs de votre ville ou de
votre école ; faites-vous des amis en pratiquant un sport ensemble
et réalisez combien le sport est indispensable à une vie plus saine
et plus équilibrée.

Pour plus d'informations sur l'année du sport,
visitez le site www.un.org/sport2005

Le mondial du foot de rue
Nouvelle saison
Pour être reconnu
Dans toutes les nations
Le mondial du foot de rue
Tous en action
Juste une balle une rue
Une équipe sans crampons

Pas de tenue pour que tout le monde puisse
jouer
Une équipe pour chaque pays du monde entier
Chacun joue pour le goût de l'amitié
Une seule passion et le talent du pied

Génération foot de rue
A notre tour de marquer l'histoire
Génération foot de rue
Tous ensemble pour la victoire

C'est du foot de rue quand on joue hors du
terrain
C'est du foot de rue quand le bitume
t'appartient

TÉO

GAOUSSOU

SHANA

LIL SAMBA

LAURA

SAHRA

BULDOZ

BAD MYKY

Table

Composition **Nord Compo** – Villeneuve d'Ascq

Imprimé en France par Jean-Lamour - Groupe Qualibris
Dépôt légal : novembre 2008
20.07.1623.6/01 – ISBN 978-2-01-201623-1
Loi n°49-956 du 16 juillet 1949
sur les publications destinées à la jeunesse